# 大家來學
# 九九乘法

# 目錄

# 九九乘法

作曲：王 興 炫　　　演唱：幼福兒童合唱團

4/4　輕鬆活潑

| <u>X</u> <u>X</u> X0 | <u>X</u> <u>X</u> X0 | <u>X</u> <u>X</u> <u>X</u> X0 | <u>X</u> <u>X</u> <u>X</u> X0 | <u>3 2</u> 1 <u>3 2</u> 1 |

| 一一得一 | 一二得二 | 一三 得三 | 一四 得四 | 一 五得 五 |
|---|---|---|---|---|
| 二一得二 | 二二得四 | 二三 得六 | 二四 得八 | 二 五得 十 |
| 三一得三 | 三二得六 | 三三 得九 | 三四 十二 | 三 五十 五 |
| 四一得四 | 四二得八 | 四三 十二 | 四四 十六 | 四 五二 十 |
| 五一得五 | 五二得十 | 五三 十五 | 五四 二十 | 五 五二十五 |
| 六一得六 | 六二十二 | 六三 十八 | 六四二十四 | 六 五三 十 |
| 七一得七 | 七二十四 | 七三二十一 | 七四二十八 | 七 五三十五 |
| 八一得八 | 八二十六 | 八三二十四 | 八四三十二 | 八 五四 十 |
| 九一得九 | 九二十八 | 九三二十七 | 九四三十六 | 九 五四十五 |

| <u>3 4</u> 5 <u>6 6</u> 5 | 6 6 <u>5 6</u> | <u>6 5</u> 3 <u>2 1</u> 2 | 2 <u>5</u> — <u>6 5</u> | 1 — — — 0 |

| 一 六得 六 | 一七得 七 | 一 八得 八 | 一九 得 九 |
|---|---|---|---|
| 二 六十 二 | 二七十 四 | 二 八十 六 | 二九 十 八 |
| 三 六十 八 | 三七二十一 | 三 八二十四 | 三九 二十 七 |
| 四 六二十四 | 四七二十八 | 四 八三十二 | 四九 三十 六 |
| 五 六三 十 | 五七三十五 | 五 八四 十 | 五九 四十 五 |
| 六 六三十六 | 六七四十二 | 六 八四十八 | 六九 五十 四 |
| 七 六四十二 | 七七四十九 | 七 八五十六 | 七九 六十 三 |
| 八 六四十八 | 八七五十六 | 八 八六十四 | 八九 七十 二 |
| 九 六五十四 | 九七六十三 | 九 八七十二 | 九九 八十 一 |

3

# 九九乘法表

| | | |
|---|---|---|
| 1 x 1 = 1 | 2 x 1 = 2 | 3 x 1 = 3 |
| 1 x 2 = 2 | 2 x 2 = 4 | 3 x 2 = 6 |
| 1 x 3 = 3 | 2 x 3 = 6 | 3 x 3 = 9 |
| 1 x 4 = 4 | 2 x 4 = 8 | 3 x 4 = 12 |
| 1 x 5 = 5 | 2 x 5 = 10 | 3 x 5 = 15 |
| 1 x 6 = 6 | 2 x 6 = 12 | 3 x 6 = 18 |
| 1 x 7 = 7 | 2 x 7 = 14 | 3 x 7 = 21 |
| 1 x 8 = 8 | 2 x 8 = 16 | 3 x 8 = 24 |
| 1 x 9 = 9 | 2 x 9 = 18 | 3 x 9 = 27 |
| | | |
| 4 x 1 = 4 | 5 x 1 = 5 | 6 x 1 = 6 |
| 4 x 2 = 8 | 5 x 2 = 10 | 6 x 2 = 12 |
| 4 x 3 = 12 | 5 x 3 = 15 | 6 x 3 = 18 |
| 4 x 4 = 16 | 5 x 4 = 20 | 6 x 4 = 24 |
| 4 x 5 = 20 | 5 x 5 = 25 | 6 x 5 = 30 |
| 4 x 6 = 24 | 5 x 6 = 30 | 6 x 6 = 36 |
| 4 x 7 = 28 | 5 x 7 = 35 | 6 x 7 = 42 |
| 4 x 8 = 32 | 5 x 8 = 40 | 6 x 8 = 48 |
| 4 x 9 = 36 | 5 x 9 = 45 | 6 x 9 = 54 |
| | | |
| 7 x 1 = 7 | 8 x 1 = 8 | 9 x 1 = 9 |
| 7 x 2 = 14 | 8 x 2 = 16 | 9 x 2 = 18 |
| 7 x 3 = 21 | 8 x 3 = 24 | 9 x 3 = 27 |
| 7 x 4 = 28 | 8 x 4 = 32 | 9 x 4 = 36 |
| 7 x 5 = 35 | 8 x 5 = 40 | 9 x 5 = 45 |
| 7 x 6 = 42 | 8 x 6 = 48 | 9 x 6 = 54 |
| 7 x 7 = 49 | 8 x 7 = 56 | 9 x 7 = 63 |
| 7 x 8 = 56 | 8 x 8 = 64 | 9 x 8 = 72 |
| 7 x 9 = 63 | 8 x 9 = 72 | 9 x 9 = 81 |

# 何謂九九乘法

## 定 義

九九乘法就是 1～9同數連加的簡便算法。
例如：

1 + 1 + 1 + 1 + 1 = 5

可以寫成 1 x 5 = 5

## 也就是

1 的 5 倍等於 5

## 同樣的

2 + 2 + 2 + 2 + 2 = 1 0

可以寫成 2 x 5 = 1 0

## 也就是

2 的 5 倍等於10

依此類推， 3 的 5 倍、 4 的 5 倍……小朋友只要背熟九九乘法表，日常生活的倍數算法，就不必繁瑣的一個一個加了。

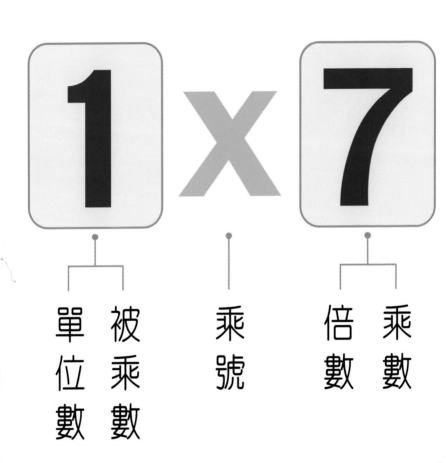

# 1 x 7

單位數　被乘數　　乘號　　倍數　乘數

# ⭐1 的·乘·法

**實 例**

每個人有 1 枝鉛筆，2 個人有 2 枝鉛筆，3 個人有 3 枝鉛筆……9 個人有 9 枝鉛筆，以此類推。

解釋如下：

1 x 1 = 1
（1個人有1枝鉛筆）
1 x 2 = 1 + 1 = 2
（2個人有2枝）
1 x 3 = 1 + 1 + 1 = 3
（3個人有3枝）
1 x 4 = 1 + 1 + 1 + 1 = 4
（4個人有4枝）
1 x 5 = 1 + 1 + 1 + 1 + 1 = 5
（5個人有5枝）
1 x 6 = 1 + 1 + 1 + 1 + 1 + 1 = 6
（6個人有6枝）
1 x 7 = 1 + 1 + 1 + 1 + 1 + 1 + 1 = 7
（7個人有7枝）
1 x 8 = 1 + 1 + 1 + 1 + 1 + 1 + 1 + 1 = 8
（8個人有8枝）
1 x 9 = 1 + 1 + 1 + 1 + 1 + 1 + 1 + 1 + 1 = 9
（9個人有9枝）

 **1** 的倍數記誦法

一一　得一

一二　得二

一三　得三

一四　得四

一五　得五

一六　得六

一七　得七

一八　得八

一九　得九

1 x 1 = (    )

1 x 2 = (    )

1 x 3 = (    )

1 x 4 = (    )

1 x 5 = (    )

1 x 6 = (    )

1 x 7 = (    )

1 x 8 = (    )

1 x 9 = (    )

## 例題指導

1 個盤子裡有 1 條魚，請問 5 個盤子裡共有幾條魚？

一般加法：
1 條 + 1 條 + 1 條 + 1 條 + 1 條 = 5 條
1 的 5 倍是 5

運用九九乘法求答案：
1 條 × 5 = 5 條

$1 \times 2 =$

$1 + 1 = 2$

$1 \times 3 =$

$1 + 1 + 1 = 3$

$1 \times 4 =$

$1 + 1 + 1 + 1 = 4$

$1 \times 5 =$

$1 + 1 + 1 + 1 + 1 = 5$

$1 \times 6 =$

$1 + 1 + 1 + 1 + 1 + 1 = 6$

$1 \times 7 =$

$1 + 1 + 1 + 1 + 1 + 1 + 1 = 7$

$1 \times 8 =$

$1 + 1 + 1 + 1 + 1 + 1 + 1 + 1 = 8$

$1 \times 9 =$

$1 + 1 + 1 + 1 + 1 + 1 + 1 + 1 + 1 = 9$

① 有 4 個小朋友，各戴 1 副眼鏡，請問共有多少副眼鏡？

運用 "九九乘法" 求答案：

（　）副 x （　）=（　）副

② 填填看：（以中間的數乘
　以周圍的數）

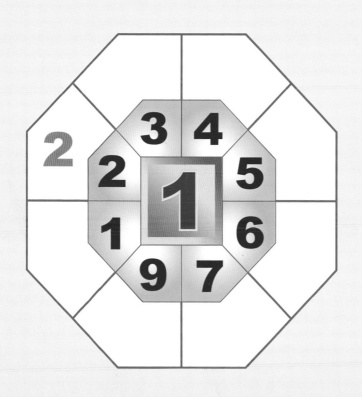

# ★2 的·乘·法

每個人有２隻手，２個人有
４隻手，３個人有６隻手…
９個人有１８隻手，以此類
推。

16

解釋如下：

2 x 1 = 2

（1個人有2隻手）

2 x 2 = 2 + 2 = 4

（2個人有4隻手）

2 x 3 = 2 + 2 + 2 = 6

（3個人有6隻手）

2 x 4 = 2 + 2 + 2 + 2 = 8

（4個人有8隻手）

2 x 5 = 2 + 2 + 2 + 2 + 2 = 10

（5個人有10隻手）

2 x 6 = 2 + 2 + 2 + 2 + 2 + 2 = 12

（6個人有12隻手）

2 x 7 = 2 + 2 + 2 + 2 + 2 + 2 + 2 = 14

（7個人有14隻手）

2 x 8 = 2 + 2 + 2 + 2 + 2 + 2 + 2 + 2 = 16

（8個人有16隻手）

2 x 9 = 2 + 2 + 2 + 2 + 2 + 2 + 2 + 2 + 2 = 18

（9個人有18隻手）

# 2 的倍數記誦法

二 一 得 二
二 二 得 四
二 三 得 六
二 四 得 八
二 五 得 十
二 六 十 二
二 七 十 四
二 八 十 六
二 九 十 八

$2 \times 1 = ($      $)$

$2 \times 2 = ($      $)$

$2 \times 3 = ($      $)$

$2 \times 4 = ($      $)$

$2 \times 5 = ($      $)$

$2 \times 6 = ($      $)$

$2 \times 7 = ($      $)$

$2 \times 8 = ($      $)$

$2 \times 9 = ($      $)$

1.每個盤子裡有 2 個西洋
　梨，請問 3 個盤子裡總
　共有幾個西洋梨？

一般加法：
２個＋２個＋２個＝６個
２的３倍是６

運用九九乘法求答案：
２個×３＝６個

2.當數字後面沒有加上單位時，乘數和被乘數顛倒放置，答案不變。

$2 \times 4 = 8$
$= 2 + 2 + 2 + 2$
$= (4 \times 2)$
$2 \times 6 = 12$
$= 2 + 2 + 2 + 2 + 2 + 2$
$= (6 \times 2)$
$2 \times 8 = 16$
$= 2 + 2 + 2 + 2 + 2 + 2 + 2 + 2$
$= (8 \times 2)$

① 小朋友，打擊樂器每2個鼓1組，請問5組共有多少個鼓？

運用 "九九乘法" 求答案：

（　）個 x （　）=（　）個

② 填填看：(以中間的數乘以周圍的數)

# **3** 的·乘·法

每根火柴棒長３公分，２根
火柴棒長６公分，３根火柴
棒共長９公分……９根火柴
棒共長２７公分，以此類推
。

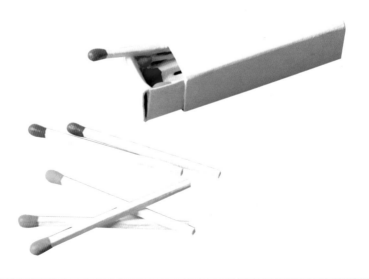

24

解釋如下：

3 x 1 = 3
（1 根有 3 公分長）

3 x 2 = 3 + 3 = 6
（2 根共 6 公分長）

3 x 3 = 3 + 3 + 3 = 9
（3 根共 9 公分長）

3 x 4 = 3 + 3 + 3 + 3 = 1 2
（4 根共 12 公分長）

3 x 5 = 3 + 3 + 3 + 3 + 3 = 1 5
（5 根共 15 公分長）

3 x 6 = 3 + 3 + 3 + 3 + 3 + 3 = 1 8
（6 根共 18 公分長）

3 x 7 = 3 + 3 + 3 + 3 + 3 + 3 + 3 = 2 1
（7 根共 21 公分長）

3 x 8 = 3 + 3 + 3 + 3 + 3 + 3 + 3 + 3 = 2 4
（8 根共 24 公分長）

3 x 9 = 3 + 3 + 3 + 3 + 3 + 3 + 3 + 3 + 3 = 2 7
（9 根共 27 公分長）

# 3 的倍數記誦法

三一　得三

三二　得六

三三　得九

三四　十二

三五　十五

三六　十八

三七　二十一

三八　二十四

三九　二十七

$3 \times 1 = ($      $)$

$3 \times 2 = ($      $)$

$3 \times 3 = ($      $)$

$3 \times 4 = ($      $)$

$3 \times 5 = ($      $)$

$3 \times 6 = ($      $)$

$3 \times 7 = ($      $)$

$3 \times 8 = ($      $)$

$3 \times 9 = ($      $)$

**例題指導**

每個人有 3 顆草莓，請問 6 個人共有幾顆草莓？

一般加法：
3 顆＋ 3 顆＋ 3 顆＋ 3 顆＋
3 顆＋ 3 顆＝ 1 8 顆
3 的 6 倍是 1 8

運用九九乘法求答案：
3 顆× 6 ＝ 1 8 顆

3 x 2 =
3 + 3 = 6
3 x 3 =
3 + 3 + 3 = 9
3 x 4 =
3 + 3 + 3 + 3 = 12
3 x 5 =
3 + 3 + 3 + 3 + 3 = 15
3 x 6 =
3 + 3 + 3 + 3 + 3 + 3 = 18
3 x 7 =
3 + 3 + 3 + 3 + 3 + 3 + 3 = 21
3 x 8 =
3 + 3 + 3 + 3 + 3 + 3 + 3 + 3 = 24
3 x 9 =
3 + 3 + 3 + 3 + 3 + 3 + 3 + 3 + 3 = 27

① 每個橢圓圈裡有 3 隻小豬
　，請問 2 個、6 個圈裡各
　有幾隻小豬？

　運用 "九九乘法" 求答案：

　（　　）隻 x（　　）=（　　）隻

　（　　）隻 x（　　）=（　　）隻

② 填填看：（以中間的數乘
　以周圍的數）

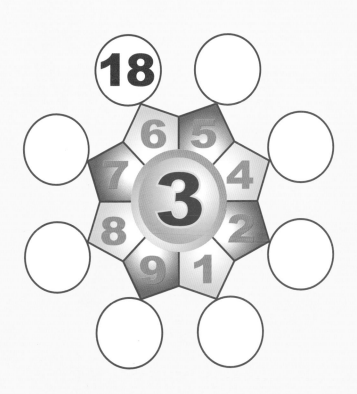

# **4** 的·乘·法

　１隻青蛙有４條腿、２隻青蛙有８條腿、３隻青蛙１２條腿……、９隻青蛙３６條腿，以此類推。

解釋如下：

4 x 1 = 4

（1 隻青蛙 4 條腿）

4 x 2 = 4 + 4 = 8

（2 隻青蛙 8 條腿）

4 x 3 = 4 + 4 + 4 = 1 2

（3 隻青蛙 12 條腿）

4 x 4 = 4 + 4 + 4 + 4 = 1 6

（4 隻青蛙 16 條腿）

4 x 5 = 4 + 4 + 4 + 4 + 4 = 2 0

（5 隻青蛙 20 條腿）

4 x 6 = 4 + 4 + 4 + 4 + 4 + 4 = 2 4

（6 隻青蛙 24 條腿）

4 x 7 = 4 + 4 + 4 + 4 + 4 + 4 + 4 = 2 8

（7 隻青蛙 28 條腿）

4 x 8 = 4 + 4 + 4 + 4 + 4 + 4 + 4 + 4 = 3 2

（8 隻青蛙 32 條腿）

4 x 9 = 4 + 4 + 4 + 4 + 4 + 4 + 4 + 4 + 4 = 3 6

（9 隻青蛙 36 條腿）

# 4 的倍數記誦法

四一　得四

四二　得八

四三　十二

四四　十六

四五　二十

四六　二十四

四七　二十八

四八　三十二

四九　三十六

$4 \times 1 = ($      $)$

$4 \times 2 = ($      $)$

$4 \times 3 = ($      $)$

$4 \times 4 = ($      $)$

$4 \times 5 = ($      $)$

$4 \times 6 = ($      $)$

$4 \times 7 = ($      $)$

$4 \times 8 = ($      $)$

$4 \times 9 = ($      $)$

每間房子住 4 個人，請問 8 間房子可住多少人？

一般加法：
4人＋4人＋4人＋4人＋
4人＋4人＋4人＋4人
＝３２人
4的8倍是３２

運用九九乘法求答案：
4人×8＝３２人

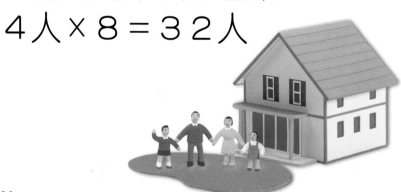

4 x 2 =
4 + 4 = 8
4 x 3 =
4 + 4 + 4 = 12
4 x 4 =
4 + 4 + 4 + 4 = 16
4 x 5 =
4 + 4 + 4 + 4 + 4 = 20
4 x 6 =
4 + 4 + 4 + 4 + 4 + 4 = 24
4 x 7 =
4 + 4 + 4 + 4 + 4 + 4 + 4 = 28
4 x 8 =
4 + 4 + 4 + 4 + 4 + 4 + 4 + 4 = 32
4 x 9 =
4 + 4 + 4 + 4 + 4 + 4 + 4 + 4 + 4 = 36

① 1 隻貓有 4 隻腳，請問 5 隻貓共有幾隻腳？

運用〝九九乘法〞求答案：

（　　）隻腳 x（　　）=（　　）隻腳

② 填填看：（以中間的數乘以周圍的數）

# 5 的·乘·法

**實 例**

１隻手有５個手指頭、２隻
手有１０個手指頭、３隻手
有１５個手指頭……、九隻
手有４５個手指頭，以此類
推。

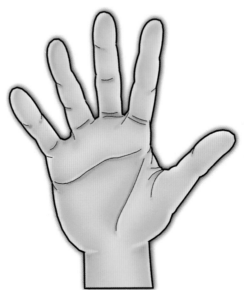

# 解釋如下：

5 x 1 = 5

（1 隻手 5 個手指頭）

5 x 2 = 5 + 5 = 10

（2 隻手 10 個手指頭）

5 x 3 = 5 + 5 + 5 = 15

（3 隻手 15 個手指頭）

5 x 4 = 5 + 5 + 5 + 5 = 20

（4 隻手 20 個手指頭）

5 x 5 = 5 + 5 + 5 + 5 + 5 = 25

（5 隻手 25 個手指頭）

5 x 6 = 5 + 5 + 5 + 5 + 5 + 5 = 30

（6 隻手 30 個手指頭）

5 x 7 = 5 + 5 + 5 + 5 + 5 + 5 + 5 = 35

（7 隻手 35 個手指頭）

5 x 8 = 5 + 5 + 5 + 5 + 5 + 5 + 5 + 5 = 40

（8 隻手 40 個手指頭）

5 x 9 = 5 + 5 + 5 + 5 + 5 + 5 + 5 + 5 + 5 = 45

（9 隻手 45 個手指頭）

# 5 的倍數記誦法

五一　得五

五二　得十

五三　十五

五四　二十

五五　二五

五六　三十

五七　三十五

五八　四十

五九　四十五

$5 \times 1 = ($     $)$

$5 \times 2 = ($     $)$

$5 \times 3 = ($     $)$

$5 \times 4 = ($     $)$

$5 \times 5 = ($     $)$

$5 \times 6 = ($     $)$

$5 \times 7 = ($     $)$

$5 \times 8 = ($     $)$

$5 \times 9 = ($     $)$

## 例題指導

1 個球 5 元，請問 5 個球總共多少元？

一般加法：

5元＋5元＋5元＋5元＋
5元＝25元
5的5倍是25

運用九九乘法求答案：
5元×5=25元

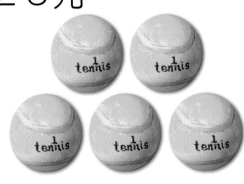

44

5×2＝
5＋5＝10
5×3＝
5＋5＋5＝15
5×4＝
5＋5＋5＋5＝20
5×5＝
5＋5＋5＋5＋5＝25
5×6＝
5＋5＋5＋5＋5＋5＝30
5×7＝
5＋5＋5＋5＋5＋5＋5＝35
5×8＝
5＋5＋5＋5＋5＋5＋5＋5＝40
5×9＝
5＋5＋5＋5＋5＋5＋5＋5＋5＝45

① 1組球隊有5人，請問8組球隊共有多少人？

運用 "九九乘法" 求答案：
（　）人 x（　）=（　）人

② 填填看：（以中間的數乘
　以周圍的數）

# 6 的·乘·法

實 例

每盒彩色筆有6枝，2盒有12枝，3盒有18枝……9盒有54枝，以此類推。

解釋如下：

6 x 1 = 6

（1盒彩色筆有6枝）

6 x 2 = 6 + 6 = 12

（2盒有12枝）

6 x 3 = 6 + 6 + 6 = 18

（3盒有18枝）

6 x 4 = 6 + 6 + 6 + 6 = 24

（4盒有24枝）

6 x 5 = 6 + 6 + 6 + 6 + 6 = 30

（5盒有30枝）

6 x 6 = 6 + 6 + 6 + 6 + 6 + 6 = 36

（6盒有36枝）

6 x 7 = 6 + 6 + 6 + 6 + 6 + 6 + 6 = 42

（7盒有42枝）

6 x 8 = 6 + 6 + 6 + 6 + 6 + 6 + 6 + 6 = 48

（8盒有48枝）

6 x 9 = 6 + 6 + 6 + 6 + 6 + 6 + 6 + 6 + 6 = 54

（9盒有54枝）

# 6 的倍數記誦法

六一　得六

六二　十二

六三　十八

六四　二十四

六五　三十

六六　三十六

六七　四十二

六八　四十八

六九　五十四

$6 \times 1 = ($     $)$

$6 \times 2 = ($     $)$

$6 \times 3 = ($     $)$

$6 \times 4 = ($     $)$

$6 \times 5 = ($     $)$

$6 \times 6 = ($     $)$

$6 \times 7 = ($     $)$

$6 \times 8 = ($     $)$

$6 \times 9 = ($     $)$

**例題指導**

企鵝每 6 隻一組，運往動物園，請問 9 組共有多少隻企鵝？

一般加法：

6隻＋6隻＋6隻＋6隻＋
6隻＋6隻＋6隻＋6隻＋
6隻＝54隻
6的9倍是54

運用九九乘法求答案：
6隻×9＝54隻

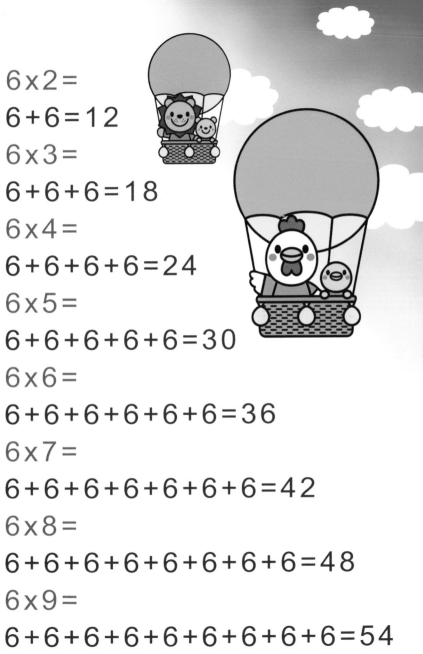

$6 \times 2 =$

$6 + 6 = 12$

$6 \times 3 =$

$6 + 6 + 6 = 18$

$6 \times 4 =$

$6 + 6 + 6 + 6 = 24$

$6 \times 5 =$

$6 + 6 + 6 + 6 + 6 = 30$

$6 \times 6 =$

$6 + 6 + 6 + 6 + 6 + 6 = 36$

$6 \times 7 =$

$6 + 6 + 6 + 6 + 6 + 6 + 6 = 42$

$6 \times 8 =$

$6 + 6 + 6 + 6 + 6 + 6 + 6 + 6 = 48$

$6 \times 9 =$

$6 + 6 + 6 + 6 + 6 + 6 + 6 + 6 + 6 = 54$

① 每串香蕉有 6 根，請問 4 串香蕉共有多少根？

運用 "九九乘法" 求答案：

(　　) 根 x (　　) = (　　) 根

② 填填看：(以中間的數乘以周圍的數)

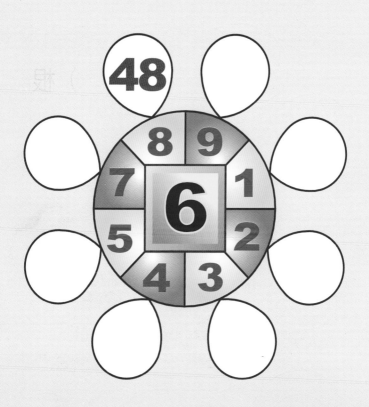

# 7 的·乘·法

1個星期有7天，2個星期有14天，3個星期有21天……9個星期有63天，以此類推。

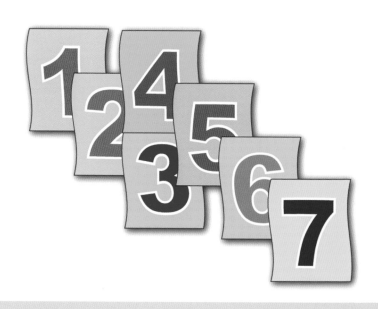

解釋如下：

7 x 1 = 7

（1 個星期有 7 天）

7 x 2 = 7 + 7 = 14

（2 個星期有 14 天）

7 x 3 = 7 + 7 + 7 = 21

（3 個星期有 21 天）

7 x 4 = 7 + 7 + 7 + 7 = 28

（4 個星期有 28 天）

7 x 5 = 7 + 7 + 7 + 7 + 7 = 35

（5 個星期有 35 天）

7 x 6 = 7 + 7 + 7 + 7 + 7 + 7 = 42

（6 個星期有 42 天）

7 x 7 = 7 + 7 + 7 + 7 + 7 + 7 + 7 = 49

（7 個星期有 49 天）

7 x 8 = 7 + 7 + 7 + 7 + 7 + 7 + 7 + 7 = 56

（8 個星期有 56 天）

7 x 9 = 7 + 7 + 7 + 7 + 7 + 7 + 7 + 7 + 7 = 63

（9 個星期有 63 天）

# 7 的倍數記誦法

七一　得七

七二　十四

七三　二十一

七四　二十八

七五　三十五

七六　四十二

七七　四十九

七八　五十六

七九　六十三

7 x 1 = (　　)

7 x 2 = (　　)

7 x 3 = (　　)

7 x 4 = (　　)

7 x 5 = (　　)

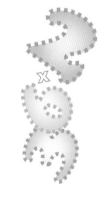

7 x 6 = (　　)

7 x 7 = (　　)

7 x 8 = (　　)

7 x 9 = (　　)

1 個袋子可放 7 顆草莓，請問 2 個袋子共有幾顆草莓？

一般加法：
7顆＋7顆＝14顆
7的2倍是14

運用九九乘法求答案：
7顆×2＝14顆

7 x 2 =

7 + 7 = 14

7 x 3 =

7 + 7 + 7 = 21

7 x 4 =

7 + 7 + 7 + 7 = 28

7 x 5 =

7 + 7 + 7 + 7 + 7 = 35

7 x 6 =

7 + 7 + 7 + 7 + 7 + 7 = 42

7 x 7 =

7 + 7 + 7 + 7 + 7 + 7 + 7 = 49

7 x 8 =

7 + 7 + 7 + 7 + 7 + 7 + 7 + 7 = 56

7 x 9 =

7 + 7 + 7 + 7 + 7 + 7 + 7 + 7 + 7 = 63

① 有 7 個小朋友，每人分發 2 顆櫻桃和 3 個橘子，請問所需要的櫻桃和橘子各多少？

運用 "九九乘法" 求答案：

（　）顆 x （　）=（　）顆

（　）個 x （　）=（　）個

② 填填看：(以中間的數乘
以周圍的數)

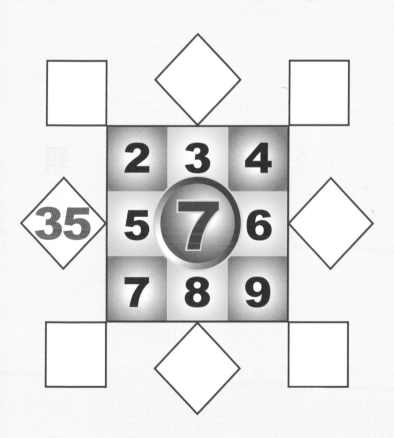

# 8 的·乘·法

**實 例**

1隻章魚有8隻腳、2隻
章魚有16隻腳、3隻章
魚有24隻腳……9隻章
魚有72隻腳，以此類推
。

解釋如下：

8 x 1 = 8

（1 隻章魚 8 隻腳）

8 x 2 = 8 + 8 = 16

（2 隻章魚 16 隻腳）

8 x 3 = 8 + 8 + 8 = 24

（3 隻章魚 24 隻腳）

8 x 4 = 8 + 8 + 8 + 8 = 32

（4 隻章魚 32 隻腳）

8 x 5 = 8 + 8 + 8 + 8 + 8 = 40

（5 隻章魚 40 隻腳）

8 x 6 = 8 + 8 + 8 + 8 + 8 + 8 = 48

（6 隻章魚 48 隻腳）

8 x 7 = 8 + 8 + 8 + 8 + 8 + 8 + 8 = 56

（7 隻章魚 56 隻腳）

8 x 8 = 8 + 8 + 8 + 8 + 8 + 8 + 8 + 8 = 64

（8 隻章魚 64 隻腳）

8 x 9 = 8 + 8 + 8 + 8 + 8 + 8 + 8 + 8 + 8 = 72

（9 隻章魚 72 隻腳）

# 8 的倍數記誦法

八一　得八
八二　十六
八三　二十四
八四　三十二
八五　四十
八六　四十八
八七　五十六
八八　六十四
八九　七十二

$8 \times 1 = ($      $)$

$8 \times 2 = ($      $)$

$8 \times 3 = ($      $)$

$8 \times 4 = ($      $)$

$8 \times 5 = ($      $)$

$8 \times 6 = ($      $)$

$8 \times 7 = ($      $)$

$8 \times 8 = ($      $)$

$8 \times 9 = ($      $)$

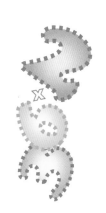

1 個西瓜可分成 8 片,請問 5 個西瓜總共分成幾片?

一般加法:
8片+8片+8片+8片+8片=40片
8的5倍是40

運用九九乘法求答案:
8片×5=40片

8 x 2 =
8 + 8 = 16
8 x 3 =
8 + 8 + 8 = 24
8 x 4 =
8 + 8 + 8 + 8 = 32
8 x 5 =
8 + 8 + 8 + 8 + 8 = 40
8 x 6 =
8 + 8 + 8 + 8 + 8 + 8 = 48
8 x 7 =
8 + 8 + 8 + 8 + 8 + 8 + 8 = 56
8 x 8 =
8 + 8 + 8 + 8 + 8 + 8 + 8 + 8 = 64
8 x 9 =
8 + 8 + 8 + 8 + 8 + 8 + 8 + 8 + 8 = 72

① 每隻蠟筆 8 元，小明買了 7 隻需付多少元？

運用 "九九乘法" 求答案：

（　　）元 x（　　）=（　　）元

② 填填看：（以中間的數乘
　以周圍的數）

# 9 的·乘·法

每1串葡萄有9顆、2串葡萄有18顆、3串葡萄有27顆⋯⋯9串葡萄有81顆，以此類推。

解釋如下：

9 x 1 = 9

（1串葡萄有 9 顆）

9 x 2 = 9 + 9 = 18

（2 串葡萄有 18 顆）

9 x 3 = 9 + 9 + 9 = 27

（3 串葡萄有 27 顆）

9 x 4 = 9 + 9 + 9 + 9 = 36

（4 串葡萄有 36 顆）

9 x 5 = 9 + 9 + 9 + 9 + 9 = 45

（5 串葡萄有 45 顆）

9 x 6 = 9 + 9 + 9 + 9 + 9 + 9 = 54

（6 串葡萄有 54 顆）

9 x 7 = 9 + 9 + 9 + 9 + 9 + 9 + 9 = 63

（7 串葡萄有 63 顆）

9 x 8 = 9 + 9 + 9 + 9 + 9 + 9 + 9 + 9 = 72

（8 串葡萄有 72 顆）

9 x 9 = 9 + 9 + 9 + 9 + 9 + 9 + 9 + 9 + 9 = 81

（9 串葡萄有 81 顆）

# 9 的倍數記誦法

九一　得九
九二　十八
九三　二十七
九四　三十六
九五　四十五
九六　五十四
九七　六十三
九八　七十二
九九　八十一

9 x 1 = (　　　)

9 x 2 = (　　　)

9 x 3 = (　　　)

9 x 4 = (　　　)

9 x 5 = (　　　)

9 x 6 = (　　　)

9 x 7 = (　　　)

9 x 8 = (　　　)

9 x 9 = (　　　)

1. 每把大提琴有 9 公斤重，請問 4 把大提琴總共幾公斤？

一般加法：
9公斤＋9公斤＋9公斤＋9公斤＝３６公斤
9的4倍是３６

運用九九乘法求答案：
9公斤×４＝３６公斤

# 2.如圖，請問柵欄裡有幾隻小豬？

9 隻 x (　　　) = (　　　) 隻

或者

3 隻 x (　　　) = (　　　) 隻

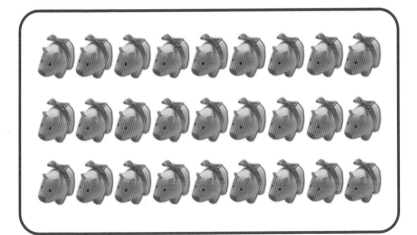

# 請小朋友利用乘法把公主救出來。

看圖算一算

① 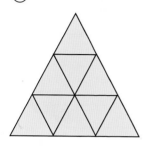 是 △ 的 (　　) 倍

②  3 顆的 4 倍是 (　　) 顆

③

2 顆 x (　　) = (　　) 顆

## 例題指導

1. 1 枝棒棒糖 5 元,請問 7 枝棒棒糖總共多少元?

2. 粉筆每枝長 8 公分,請問 4 枝粉筆總長是幾公分?

3. 每隻母雞,一天生 3 個蛋,請問 6 隻母雞共生了幾個蛋?

4. 紅色球的重量是白色球的 5 倍,白色球重 7 公克,請問紅色球的重量是多少?

5. 有 6 隻猴子,每隻分得 3 個蘋果、2 根香蕉,請問共需要多少個蘋果和香蕉?

6. A 撲滿有 8 元,B 撲滿是 A 的 9 倍,C 撲滿是 A 的 6 倍,請問 B 撲滿和 C 撲滿各有多少元?

## 連連看

1. 小豬應該吃那一顆蘋果呢？請小朋友動動
   腦連連看！

 18      30-6      20+7

 2 x 4    4 x 6    9 x 3    2 x 9    6 x 9    5 x 8

2. 足球比賽每個人得多少分？請小朋友動動
   腦連連看！

8 x 2     45     20+29

 16      7 x 7      9 x 5

# 解答

P.14 **應用練習 ①**

1副 x 4 = 4副

P.46 **應用練習 ①**

5人 x 8 = 40人

P.22 **應用練習 ①**

2個 x 5 = 10個

P.54 **應用練習 ①**

6根 x 4 = 24根

P.30 **應用練習 ①**

3隻 x 2 = 6隻
3隻 x 6 = 18隻

P.62 **應用練習 ①**

2顆 x 7 = 14顆 (櫻桃)
3個 x 7 = 21個 (橘子)

P.38 **應用練習 ①**

4隻 x 5 = 20隻

P.70 **應用練習 ①**

8元 x 7 = 56元

小朋友,
你都答對了嗎?

## P.77 例題指導 ②

9隻 x 3 = 27隻
3隻 x 9 = 27隻

## P.79 看圖算一算

① 9
② 12
③ 2顆 x 5 = 10顆

## P.80 應用題

① 5元 x 7 = 35元
② 8公分 x 4 = 32公分
③ 3個 x 6 = 18個
④ 7公克 x 5 = 35公克
⑤ 3個 x 6 = 18個（蘋果）
　 2根 x 6 = 12根（香蕉）
⑥ B撲滿：
　 8元 x 9 = 72元
　 C撲滿：
　 8元 x 6 = 48元

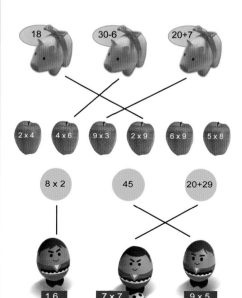

國家圖書館出版品預行編目資料

大家來學九九乘法 / 幼福製作部編輯.-- 再
版.-- 新北市中和區：幼福文化, 2008.07
　　面；　　公分. -- (兒童數學啟蒙教材)

ISBN 978-957-747-961-7(精裝附光碟片)
1. 數學教育 2. 算數 3. 運算 4. 小學教學

　　523.32　　　　　　97010612

兒童啟蒙CD書

# 大家來學九九乘法

編　　著　幼福編輯部
出 版 者　幼福文化事業股份有限公司
電　　話　(02)2226-3070
傳　　真　(02)2225-0913
地　　址　新北市中和區建康路130號4樓之2
網路書店　www.168books.com.tw
出版日期　2011年3月最新版
版權編碼　T03-1
定　　價　依封面價格為主